亚马逊网站五星级童书

★ ★ ★ ★ ★

我想有颗星星

〔法〕克利斯提昂·约里波瓦 / 文　　〔法〕克利斯提昂·艾利施 / 图

郑迪蔚　　漪然 / 译

21　二十一世纪出版社
21st Century Publishing House

克利斯提昂·约里波瓦（Christian Jolibois）今年有 352 岁啦，他的妈妈是爱尔兰仙女，这可是个秘密哦。他可以不知疲倦地编出一串接一串异想天开的故事来。为了专心致志地写故事，他暂时把自己的"泰诺号"三桅船停靠在了勃艮第的一个小村庄旁边。并且，他还常常和猪、大树、玫瑰花和鸡在一块儿聊天。

克利斯提昂·艾利施（Christian Heinrich），他是一只勤奋的小鸟，喜欢到处涂涂抹抹的水彩画家，他有一大把看起来很酷的秃头画笔，还带着自己小小的素描本去过许多没人知道的地方。他如今在斯特拉斯堡工作，整天幻想着去海边和鸬鹚聊天。

获奖记录：
2001 年法国瑟堡青少年图书大奖
2003 年法国高柯儿童文学大奖
2003 年法国乡村儿童文学大奖

copyright 2002. by Editions Pocket Jeunesse, département d'Univers Poche - Paris, France.
Édition originale: UN POULAILLER DANS LES ETOILES

版权合同登记号 14-2006-023
Chinese simplified translation rights arranged with Univers Poche through Middle Kingdom Media.
本书中文版权通过法国文化出版传媒有限公司帮助获得。

图书在版编目（CIP）数据

我想有颗星星 /（法）约里波瓦著；
（法）艾利施绘；郑迪蔚，漪然译.
– 南昌：二十一世纪出版社，2006.8（2008.11 重印）
（不一样的卡梅拉）
ISBN 978-7-5391-3518-2

Ⅰ.我... Ⅱ.①约...②艾...③郑...④漪...
Ⅲ.图画故事–法国–现代　Ⅳ.I565.85

中国版本图书馆 CIP 数据核字（2006）第 100209 号

我想有颗星星

作　者	（法）克利斯提昂·约里波瓦 / 文
	（法）克利斯提昂·艾利施 / 绘
译　者	郑迪蔚　漪然
责任编辑	熊　炽　敖　德　后期制作　敖鑫富
出版发行	二十一世纪出版社
	www.21cccc.com　cc21@163.net
出版人	张秋林　经　销　新华书店
印　刷	北京尚唐印刷包装有限公司
版　次	2006年9月第1版　2008年11月第12次印刷
开　本	600mm × 940mm　1/32
印　张	1.5
书　号	ISBN 978-7-5391-3518-2
定　价	6.80 元

本社地址：江西省南昌市子安路 75 号　330009　（如发现印装质量问题，请寄本社图书发行公司调换　0791-6524997）

祝勃艮弟、瓦朗耶、里昂内的小朋友们快乐。

——克利斯提昂·约里波瓦

致亚力山大，蓝色星球上最可爱的、最小最小的小鸡，
爸爸。

——克利斯提昂·艾利施

太阳下山了。小鸡们抓紧时间在睡前疯玩：滑滑梯、荡秋千、踢球、游泳……嘻嘻哈哈！叽叽喳喳！这是一天中最热闹的时候。

“今天到此为止了，孩子们！快点回去睡觉！”
卡梅拉扯开嗓门命令大家。

小鸡们很不情愿地往回走。

"快，快点！我都看见狐狸闪光的牙齿啦……"

"37，38，39……"卡梅拉仔细地数着，"39……
怎么缺一个？又是这个淘气包，卡梅利多！你在哪儿？
赶紧回来，小心狐狸吃了你！"

"我才不怕呢！"卡梅利多仰望着闪烁的星空，
他才不在乎妈妈的恐吓呢。

"哇!一颗流星!流星!"

瞧！一颗美丽的小星星坠落在灌木丛里了。

"我来了，宝贝！"

卡梅利多欢呼着奔向树丛，想凑近了瞧一瞧星星。

自打他从蛋里钻出来，就梦想着这一天了。

啊，我的天，它正一动不动地躺在沙滩上呢！卡梅利多抑制不住内心的激动！轻轻地走过去。

　　"可怜的星星！看来这趟旅行把你累坏了。"他轻轻地抚摸着星星，"哦！原来星星这么软，还有股鱼腥味……"

"我找到星星啦！佩罗，我找到星星啦……"

　　他抱着星星，欢天喜地跑去告诉老朋友这个难以置信的好消息。

"哈、哈、哈！就是这个吗！一颗从天上坠落的流星！"佩罗放声大笑，"我可怜的卡梅利多，这只是一颗海星……而且已经不太新鲜了！"

13

"知道吗，我的小家伙，星星是不存在的！"

"我得给你解释一下，事实上，
每当夜晚来临，地球就被一个巨大的
黑色漏勺盖起来了，那些星星只是从
漏勺的小洞里透出来的光。懂吗？我
的小傻瓜！呵呵、呵呵……"

卡梅利多伤心极了。

小白羊贝里奥过来安慰他：

"别哭了，卡梅利多，我把你的星星捡回来了。我告诉你一个秘密，我有一个朋友——伽利略先生，他和你一样，每天晚上都在看星星呢！

"我们去问问他，说不定会得到一个满意的答案。"

他们来到有座美丽花园的房子前，
这就是天文学家的家。

"好奇怪的家伙！他竟然从管子里看星星。"卡梅
利多简直无法相信他看到的一切。

"哈哈,小猫咪!用这个望远镜,我又发现了好多新的星星,看来,我们在宇宙中并不孤单啊!"

"晚——晚上好!"

"啊,是你啊,贝里奥,"老学者头也不回地说,"这是你带来的朋友?"

"晚上好,伽利略先生,我叫卡梅利多。嗯,你能让我从这个……这个'管子机器'里看看星星吗?"

　　"哇！这些星星离我们好近呀！好像我一伸手就可以够得到……是吧？先生，什么时候我能……能亲手……摸一下真正的星星呢？"卡梅利多兴奋得连说话的声音都变了。

　　"摸星星？哦，呵呵！呵呵！"伽利略大笑起来。

"等到小鸡也能长出牙吧！"

与此同时，在太空中……

"嗨，老师，看呀！那儿有颗美丽的蓝色星球！"

"安静点，孩子们！安——静！让我看看我的指南手册里有没有标记？……嗯！这个星球叫地球。"

"哦！它太美啦！"

"老师，我想上厕所！实在憋不住了！"

"不能再等一等吗？萨蒂尼，就你事多。呃，好吧，我们就在地球上停一会儿吧。还可以从那里带点纪念品回家……"

"来吧，孩子们，都回到座位上，系好安全带，戴上保护眼镜。"

"机长！能不能再快点儿！"

"快点儿！"

"再快点儿！"

经过一晚的工作，天文学家回去睡觉了。两个好朋友也累了，就在凳子下面做起了美梦。

突然，卡梅利多被一阵可怕的巨响惊醒了。一个大火球，从天上降落下来，轰隆隆的响声把房子都快震塌了！

"贝里奥！贝里奥！快醒醒！"

"太棒了！这里好漂亮！有草地，还有一幢老房子……"

"我不是在做梦吧！这些东西也是一群小鸡！……
一群绿色的小鸡……瞧！他们还长着怪怪的牙齿呢！"

"呀！这是我先看到的！放手！……"
"天哪！这个东西又旧又难看！"

"笑一下，哥们儿，你可对着镜头呢！"
"孩子们，安静点，慢——慢——来！"

　　刚才那阵恐惧的感觉过去后，卡梅利多忍不住想去看看，这个从天上掉下来的"鸡窝"是什么样。

　　"过来，贝里奥！"

　　"如果我们回不了家怎么办？"

　　贝里奥虽然非常不情愿，但还是跟在卡梅利多后面，向火球里走去。

"有人吗？"卡梅利多小心翼翼地问道。

"呜⋯⋯呜⋯⋯"

"我找不到我的靴子了……所有的人都下去了，只把我留在这里，好害怕呀……呜呜……"

"你好！"卡梅利多礼貌地说，"有什么可以帮你的吗？"

小绿鸡睁开眼，看见他俩，立刻停止了哭泣。

"我叫塞勒斯特……我是卡萨夫人班上的。"

"我叫卡梅利多，这位是贝里奥……"

"你们的鸡窝可真棒！"卡梅利多环视着飞船，赞叹道。

"这个东西怎么运转？"贝里奥好奇地指着一个圆桶问道。

"嗯，它和星际发动机一起运转。"小绿鸡兴致勃勃地介绍。

"发动机？什么是发动机？"

"呵呵……你们可真有意思，连发动机都不知道。来，我带你们参观一下吧！"

"我们是绿色班级的，跟着老师游览各个星球。"小绿鸡非常自豪地向他们解释。

　　"你们是从星星上来的？"卡梅利多大声喊道，"看，我说对了吧？真的有星星！"

　　"当然了。"塞勒斯特说，"看看我们找到的这些漂亮东西，这是我们在学校里的必修课。"

　　"什么是'学校'？"

　　"你从没上过学？"

　　"嗯……是的！"卡梅利多有点不好意思。

　　"唉，你们这些男孩子啊！看来我们要从头学起……"

塞勒斯特耐心向他们解释："在我们的银河系中，有十亿颗星星……"

"啊，多少？十亿？"

"嗯，就是很多的意思。"

卡梅利多望着小绿鸡的牙，忍不住问道："塞勒斯特，你可不要生气，为……为什么你们会长牙？"

　　"那是很久很久以前的事了，有一天，农场主给我们吃了肉……后来，我们的牙就长出来了。"

　　"那农场主后来怎么样了？"

　　"呵呵……我们把他们给吃了，并且占领了他们的农场！……"塞勒斯特突然喊道，"哦，我的靴子！找到我的靴子了！对不起，我得马上下去！快点儿！"

　　"我必须找点儿东西带回去，这是老师布置的作业。"

　　"塞勒斯特，收下它做个纪念吧，"卡梅利多慷慨地把海星送给她，"这是整个地球上，你能找到的唯一一颗星星！"

　　"你收下吧，很好玩的。"贝里奥补充道，"它很软，而且有股鱼腥味……"

　　塞勒斯特高兴极了，她从没见过这么漂亮的东西，在他们的星球上，既没有大海也没有沙滩……
　　"我也送你们一个礼物，"她在背包里翻找起来，"看！只是一个小玩意，但很有意思！"她双手捧着礼物，激动地送给新朋友。

"这是金星上的一块碎片，我昨天拿到的！"

"我简直不敢相信！贝里奥，你看到了吗？金星上的！简直太神奇了！"

"我摸到星星了！"
"我摸到星星了！"

"过来！"塞勒斯特趴在地上，用木棍画了一个图，"每到晚上，天空中会出现一组星星，像狐狸似的图案。看到它闪亮的眼睛了吗？那就是我住的地方！记住哦！"

飞船就要返航了，三个小朋友含着泪水，依依不舍地紧紧拥抱……

"慢慢来，孩子们……慢——慢——来！……37，38，39……怎么少了一个！是塞勒斯特！"卡萨夫人生气地大声喊道，"我们要出发了！塞勒斯特！你在哪儿？"

"你在哪儿？塞勒斯特，快点儿、快！"
"老师你看我带回了什么？地球上的星星！"

"再见！再见啦，塞勒斯特！"
"我永远也忘不了你！"

飞船消失了，烟雾也随之散去。

"我们该回去了。"

"到时间了？"卡梅利多还沉浸在刚才的奇遇中，"真可惜！"

"你知道大人们会怎么想？我们迟到5分钟，他们就能扯出一堆事来……"

两个好朋友决定，对这次奇遇保守秘密，谁也不告诉，"我们已经不是小孩了，对吧？"

鸡舍里，日子还像往常一样，早上起床，太阳下山就得睡觉……

"卡梅利多？快回来，我的宝贝，小心狐狸把你吃了……"

"好的，妈妈！再等一分钟！"

"嗨，看哪，卡梅利多！一颗流星，我许了一个愿。"